LES DRAGONS
ENNEMIS

Conception graphique et colorisation :
Valérie Gibert et Philippe Sedletzki.

Hachette Livre, 43, quai de Grenelle, 75015 Paris.

Adam Blade

Adapté de l'anglais
par Blandine Longre

LES DRAGONS
ENNEMIS

hachette
JEUNESSE

LE PUITS DE FEU

LE LABYRINTHE
DE MALVEL

LES GROTTES DE NIDREM

LA RIVIÈRE
SOUTERRAINE

LE PALAIS
DU ROI
HUGO

LA CITÉ

Rion

Avantia

TOM

Tom, le héros de cette histoire, aime l'action et l'aventure : il a toujours voulu devenir chevalier. Sa mission est risquée, et il lui arrive d'avoir peur... mais il sait aussi se montrer très malin ! Par chance, il peut compter sur son amie Elena, sur son cheval Tempête, et sur son épée, dont il se sert très bien. Son rêve le plus cher : retrouver son père, qu'il n'a jamais connu.

ELENA

Cette jeune orpheline accompagne Tom dans ses aventures. Courageuse, astucieuse, et plutôt têtue, elle est experte au tir à l'arc. Elle a tendance à se fâcher, surtout si Tom la taquine ! Mais elle n'abandonne jamais ses compagnons quand ils sont en danger. Avant de rencontrer Tom, son seul ami était Silver, un loup. Très attachée à Silver, elle s'inquiète souvent pour lui... parfois un peu trop !

Bienvenue à Avantia !

Je m'appelle Aduro.
Je suis un bon sorcier et je
vis au palais du roi Hugo.

Tom et Elena ont pour
mission d'emmener deux
jeunes dragons, Vedra et
Krimon, à Rion, où ils
seront en sécurité.

Jusqu'ici, ils s'en sont
bien sortis, mais leur quête
est loin d'être terminée… Malvel, le sorcier
maléfique, n'est pas loin et son serviteur, Seth,
a enlevé Vedra.

Nos deux héros ont encore beaucoup à faire :
ils doivent protéger Krimon et délivrer Vedra,
avant que la lune ne soit pleine. S'ils échouent,
les jeunes dragons resteront prisonniers de
Malvel pour toujours.

Espérons que Tom et Elena réussiront !

Avantia te salue.

Aduro

Tom et Elena ont réussi à emmener
les dragons jumeaux à Rion,
mais leur mission est loin d'être terminée...
Ils ont pu protéger Krimon,
mais l'autre dragon, Vedra, est maintenant
entre les mains de Malvel.

Les deux amis parviendront-ils
à le sauver ?

Chapitre un

Tempête de neige

Inquiet, Tom observe la tempête de neige qui souffle autour d'eux. Avec un temps pareil, comment est-ce qu'ils vont pouvoir retrouver Seth, le serviteur de Malvel, et Vedra le petit dragon ?

— Ce soir, c'est la pleine lune, lui dit Elena, l'air pensif. Nous devons absolument sauver Vedra avant.

9

Tom se tourne vers Krimon, le jumeau de Vedra, qui frissonne. Il est assis près de Ferno, le dragon de feu, et d'Epos, l'oiseau-flamme.

— Epos est blessé. Je ne pense pas qu'il puisse voler pour l'instant, constate le garçon.

Ferno se rapproche de l'autre Bête et soulève une aile pour le protéger du blizzard pendant que Krimon se blottit contre le grand dragon. Il a l'air de se demander où est Vedra.

Soudain, le bébé dragon

pousse un cri perçant, se redresse et se met à courir dans la neige.

— Où est-ce qu'il va ? s'écrie Tom.

— On dirait qu'il sait où se trouve son frère, répond son amie.

Krimon se dirige vers la forêt. Il se retourne, regarde Tom et Elena, puis lève une aile, comme pour leur faire signe.

— Il faut le suivre ! s'exclame le garçon.

— Est-ce qu'on peut laisser les Bêtes ici ? demande la jeune fille.

Ferno déploie ses ailes autour d'Epos.

— Regarde, on dirait un gros rocher, comme la première fois que je l'ai rencontré, explique Tom. Il va protéger Epos.

Elena se retourne vers la forêt.

— Où est passé Krimon ? Vite, il ne faut pas perdre sa trace ! lance-t-elle.

Les deux amis se mettent à courir.

— De quel côté est-ce qu'il est parti ? s'inquiète la jeune fille.

Autour d'eux, tout est sombre. Aucun signe du petit dragon.

— On n'a pas été assez rapides ! s'écrie le garçon.

Chapitre deux

Le feu du dragon

Tom court entre les arbres recouverts de neige.

— Krimon ! Reviens !

Elena le rejoint et l'attrape par la manche.

— Chut ! Écoute...

Ils entendent un bruissement un peu plus loin.

— Là-bas ! s'écrie-t-elle.

Tom aperçoit Krimon qui trottine vers eux. Il s'arrête, les yeux brillants.

— Est-ce que tu sais où est Vedra ? demande le garçon.

La Bête hoche la tête et de petites flammes sortent de ses naseaux.

— Montre-nous le chemin, lui dit Elena.

Krimon fait demi-tour et les guide entre les arbres qui se dressent, menaçants, au-dessus d'eux. Tom serre le pommeau de son épée : il doit rester sur ses gardes !

Soudain Krimon s'immobilise, baisse le museau et renifle

le sol. Puis il ferme les yeux, lève la tête et crache du feu vers le ciel.

Stupéfait, Tom regarde les flammes s'échapper de la gueule du dragon et se transformer en une boule de feu rouge qui se met à tournoyer lentement dans les airs.

— Qu'est-ce qu'il fait ? s'étonne Elena.

— Je n'en sais rien, mais regarde sa poitrine ! répond son ami.

Sur la peau rouge de la Bête, une lueur orange s'étend, juste au-dessus de son cœur.

La lueur se met à palpiter. Au centre de celle-ci, un petit cercle vert apparaît. La même

lumière verte se met à briller
au milieu de la boule de feu
au-dessus de Krimon.

— Comme c'est beau, s'émerveille Elena. Mais qu'est-ce que ça veut dire ?

— Je crois que les dragons jumeaux sont liés, explique le garçon. Ils peuvent peut-être communiquer à distance. Allez, suivons-le, nous n'avons pas de temps à perdre.

Krimon s'élance entre les arbres et les deux amis le suivent.

Plusieurs fois, ils entendent un bruit sinistre, qui ressemble au rire moqueur de Malvel. Au fur et à mesure qu'ils avancent dans la forêt, celle-ci devient sombre et menaçante.

Tom remarque que la boule de feu et la lumière verte faiblissent parfois. Quand elles se remettent à briller, le garçon comprend que cela signifie qu'ils sont dans la bonne direction.

— Il va bientôt faire nuit, constate Elena.

— Selon Aduro, les Bêtes sont en sécurité tant que la pleine lune n'est pas haute dans le ciel. Mais il faut qu'on se dépêche !

Tout à coup, le petit dragon s'arrête. Devant eux, d'épais

buissons de houx leur barrent la route. Leurs branches sont aussi grosses que les bras de Tom.

Le garçon devine que cet obstacle n'est pas là par hasard.

Le bébé dragon ne sait plus où aller. Un rire moqueur résonne entre les arbres. Aussitôt, Krimon lève la tête et pousse un cri perçant. Des larmes aussi brillantes que des diamants coulent de ses yeux.

— Vedra doit être de l'autre côté de ces buissons, dit Tom. Mais comment allons-nous passer ?

Chapitre trois

Un obstacle

Tom sort son épée et s'avance vers les buissons d'un pas décidé.

— Tant que je serai en vie, je ferai tout pour accomplir ma mission ! murmure-t-il.

De toutes ses forces, il abat son arme sur les branches.

— Bravo, Tom ! le félicite Elena.

Et tandis que le garçon se fraye un passage, la jeune fille écarte

les branches coupées. Tom est
essoufflé et il a mal aux bras,
mais il s'oblige à continuer.
Derrière lui, il entend Krimon
qui grogne, comme pour
l'encourager.

Il finit par être épuisé. Il a l'impression que son épée est devenue très lourde. Le garçon baisse son arme, à bout de souffle.

— Les buissons sont trop

épais, dit-il. Je ne sais pas ce qui m'arrive, je me sens tellement fatigué…

— Allez, on va réussir à passer, répond Elena. Ça va prendre un peu de temps, c'est tout.

— On n'a plus le temps ! La nuit tombe déjà.

Un grognement retentit derrière eux. Krimon les regarde tristement. Sur sa poitrine, la lueur orange est de plus en plus pâle et la lumière verte a presque disparu.

Soudain, le petit dragon tend son cou et referme sa

mâchoire sur la tunique d'Elena.

— Qu'est-ce qu'il fait ? s'étonne-t-elle.

La Bête la tire vers l'arrière et l'oblige à s'écarter des buissons.

— Tom ! Recule, je crois que Krimon a une idée.

Le garçon rejoint aussitôt son amie.

Le dragon, lui, se tourne vers le mur de houx. Il prend une profonde inspiration et, soudain, des flammes sortent de sa gueule.

— Il brûle les buissons pour

qu'on puisse passer ! crie
Elena. Bravo, Krimon !

En trébuchant, Tom et la
jeune fille suivent le petit dra-

gon à travers les branches
enflammées et la fumée qui
les fait tousser. Bientôt, ils
arrivent de l'autre côté et

peuvent enfin respirer de l'air pur.

Tom essuie ses yeux et regarde autour de lui. Il n'y a plus de sapins mais une étendue de bosquets épais, recouverts de neige, aussi hauts que des arbres. Plusieurs sentiers s'enfoncent dans cette nouvelle forêt.

— Quel chemin est-ce qu'on doit prendre? demande Elena.

Elle regarde Krimon, qui a l'air de chercher une piste.

— Retrouve Vedra! l'encourage la jeune fille. Je sais que tu en es capable!

Chapitre quatre

Le labyrinthe

La Bête court vers un des sentiers, mais la boule de feu qui vole au-dessus d'elle faiblit tellement qu'elle s'éteint presque. Alors le dragon choisit un autre chemin. Cette fois, la boule de feu se met à briller.

— C'est par là! s'écrie Tom.

Ils entrent dans la forêt de haies. Souvent, Krimon s'arrête à

un carrefour, et hésite avant
de choisir son chemin.

— C'est un vrai labyrinthe !
s'exclame Elena.

Mais Tom sait qu'ils sont

sur la bonne voie : sur la poitrine du dragon, la lumière
orange et le cercle vert
brillent de plus en plus. Des
étincelles rouges et vertes

jaillissent même de la boule de feu.

Le garçon lève les yeux vers le ciel. À présent, les nuages ont disparu et la nuit est claire, illuminée par les étoiles.

Un vent glacial souffle sur la forêt. Tom est content d'avoir la clochette enchantée de Nanook, le monstre des neiges, accrochée à son bouclier. Cet objet le protège du froid. Krimon, lui, n'a pas l'air de craindre le froid, mais Tom s'aperçoit qu'Elena frissonne, même si elle porte un chaud manteau.

— La lune va bientôt être pleine, lui dit-il.

— Oui, mais regarde comme la boule de feu brille. On est sûrement tout près du but.

Ils arrivent devant un nouveau sentier. Krimon hésite. Soudain, une flamme surgit près du visage de Tom. Celui-ci bondit en arrière, son épée et son bouclier à la main.

Un autre éclair de feu jaillit de l'autre côté du chemin. Elena pousse un cri de surprise. Puis des flammes s'allument brusquement, une par une, le long du chemin.

— Des torches! s'étonne le garçon.

— Je n'aime pas ça, dit la jeune fille, inquiète. On dirait que la forêt est devenue vivante. C'est sûrement de la magie noire. Ces torches n'ont pas été allumées pour nous aider.

Tout à coup, Tom remarque une énorme silhouette au milieu des branches. Des yeux rouges, des griffes et des crocs scintillent à la lueur des torches.

— Recule! hurle-t-il en se jetant devant son amie.

Une créature monstrueuse se dresse au-dessus de lui!

Chapitre cinq

La brume verte

Tom lève son épée devant la créature. Elle a une forme humaine mais sa peau épaisse et brillante est couverte de pointes. Ses griffes sont aussi longues que des épées, et ses yeux sont terrifiants.

Mais, soudain, le garçon remarque que le monstre reste immobile. Intrigué, il s'avance d'un pas.

— Fais attention ! lui lance Elena.

Tom frappe la jambe de la créature avec son épée. Un bruit sourd s'en échappe. Le garçon se tourne vers son amie.

— C'est seulement une statue !

— Une statue qui n'a pas

l'air très sympathique, répond-elle en le rejoignant.

Ils s'aperçoivent qu'il y a d'autres statues, toutes plus affreuses les unes que les autres autour d'eux, à moitié cachées dans les buissons.

Brusquement, ils entendent Krimon gémir.

— Il ne sait plus quel chemin prendre, comprend Elena.

Tom observe les deux sentiers devant eux. Ils ont l'air identiques. Il avance un peu sur celui de gauche. Soudain, une épaisse brume verte monte du sol et s'enroule autour de ses chevilles. Au même instant, le garçon sent une vive douleur traverser ses yeux. Il s'immobilise.

— Qu'est-ce qui t'arrive ? s'inquiète Elena.

— J'ai l'impression que ma tête va exploser ! explique-t-il en reculant d'un pas mal assuré.

Dès qu'il revient vers son

amie, la brume s'évapore et son mal de tête disparaît.

— Je ne crois pas que ce soit le bon chemin, annonce-t-il. En tout cas, j'espère que ce n'est pas celui qu'on doit prendre.

Tout à coup, au grand soulagement de Tom, Krimon s'engage sur celui de droite. Le garçon est certain que Vedra se trouve au cœur de ce labyrinthe.

Il lève les yeux vers le ciel. La lune est encore basse.

Ils arrivent à un autre carrefour. Le dragon choisit le sentier de gauche, le plus étroit.

Elena suit Krimon, mais dès
que Tom pose un pied sur le
chemin, une brume verte
monte du sol et se met à tour-
billonner autour de ses chevilles.

— Ce n'est pas la bonne route, dit-il, c'est impossible.

Pourtant, la boule de feu qui plane au-dessus du dragon est toujours aussi lumineuse. Elena s'arrête, inquiète pour son ami.

— Tu as de nouveau mal à la tête ? Ne respire surtout pas cette brume ! lui conseille-t-elle.

Tom grimace et essaie de retenir son souffle, même s'il a de plus en plus mal.

« C'est sûrement la bonne direction, se dit-il. Il faut que je supporte cette douleur. »

— Ne t'en fais pas pour moi, répond-il. Surtout, ne t'éloigne pas de Krimon, je vous suis.

Elena court derrière le dragon. Celui-ci est déjà loin devant: il est pressé de retrouver Vedra.

Tom place sa main devant sa bouche et son nez. Il n'a pas l'intention d'abandonner sa mission! Soudain, il entend derrière lui un petit rire étouffé. Le garçon fait volte-face. Un homme se tient au bout du chemin.

C'est Malvel! Sa capuche

cache un peu son visage, mais
son rire maléfique résonne
aux oreilles de Tom. Le jeune
homme ne contrôle plus sa

colère : avec un cri de rage, il se précipite vers le sorcier, son épée brandie.

— Tom ! l'appelle Elena. Non !

Mais il ignore l'avertissement de son amie. Malvel est tout près : il faut le combattre ! Il ne veut pas laisser passer cette chance.

Le sorcier pointe un doigt vers le ciel et rit de nouveau. Tom s'aperçoit que la lune s'élève lentement au-dessus des haies.

Bientôt, il sera trop tard…

Chapitre six

Les sorts de Malvel

Elena rattrape Tom et l'empêche d'avancer.

— Qu'est-ce que tu fais ? Tu vas dans la mauvaise direction.

Le garçon tend son épée vers le sorcier.

— Il faut que je me batte contre lui !

— Te battre contre qui ? s'étonne Elena. Je ne vois personne !

— Tu es aveugle ? crie le garçon. Tu ne vois pas Malvel, là, juste devant nous ?

— Non, Tom, insiste la jeune fille. Il n'y a personne. Tu as une hallucination. Peut-être à cause de cette brume verte qui te donne mal à la tête.

Tom se dégage. Il a l'air très en colère contre son amie.

— Il faut que tu te calmes, lui dit-elle gentiment.

Le garçon se rend compte qu'il respire difficilement. Jamais il n'a été aussi furieux.

Qu'est-ce qui lui arrive ? Pourquoi est-ce que la jeune fille ne voit pas Malvel ?

Il inspire profondément. Il sent qu'il se calme petit à petit, et la silhouette du sorcier finit par disparaître elle aussi.

— Merci, Elena, dit-il d'une voix douce. Cette brume doit être un moyen utilisé par Malvel pour me contrôler.

— Allez, viens. Nous ne devons pas perdre la trace de Krimon.

Ils partent en courant le

long du chemin. La brume verte s'est évaporée et Tom n'a plus mal à la tête.

Bientôt, ils rejoignent le petit dragon. Il les attend devant une grande porte qui leur bloque le passage. La Bête gémit doucement. Sur la porte, Tom remarque des traces noires. Krimon a dû essayer de la brûler, sans y parvenir.

Sur sa poitrine, la lueur orange brille toujours.

— Il faut qu'on trouve un moyen de l'ouvrir, peut-être avec une clé, suggère Elena.

— Mais… il n'y a pas de ser-rure, ni de poignée, répond Tom, qui recommence à s'énerver.

Il s'élance vers la porte, brandit son épée et l'abat encore et encore sur le bois. Mais la porte reste intacte.

Il se jette alors de toutes ses forces contre elle.

— Tom, arrête ! s'exclame son amie. Ça ne sert à rien !

Mais le garçon n'a pas l'air de l'entendre. Il pousse un hurlement de rage et donne un grand coup de pied dans la porte. Celle-ci s'ouvre

51

brusquement. Tom lance un
regard furieux à Elena.

— Tu vois ! J'ai réussi, crie-
t-il. Je savais bien que j'y arri-
verais !

Il se précipite de l'autre côté. Mais il trouve seulement un autre chemin couvert de neige.

— Non ! Je déteste cet endroit !

Il court de tous les côtés, abat violemment son épée sur les buissons.

Krimon recule, effrayé par la colère du garçon. Elena l'attrape par le bras.

— Laisse-moi ! lance-t-il en la repoussant.

Il lève son arme, comme s'il voulait frapper son amie. Mais, soudain, il se rend compte de son geste : il lâche son arme et tombe à genoux sur le sol.

— Pardon ! Excuse-moi !

Elena s'accroupit près de lui.

— Regarde-moi, Tom, lui dit-elle d'un ton ferme. Ce n'est pas ta faute. Je crois que Malvel t'a jeté un sort avec la poudre magique que Seth, son serviteur, t'a lancée dans les yeux. Tu ne dois pas te laisser faire. Sinon, Malvel gagnera.

Tom ne sait plus quoi faire. Il se dit que cette mission est trop difficile…

Chapitre sept
Le gouffre

Je n'arrive pas à me contrôler, dit Tom à son amie. La magie de Malvel est trop puissante !

— Il faut essayer, répond Elena. Je vais t'aider.

— Mais… tu ne comprends pas. J'ai failli te faire du mal…

— Tu crois vraiment que tu

55

peux me battre? demande la jeune fille en souriant. Ne t'inquiète pas, je sais me défendre!

Krimon regarde toujours Tom d'un air méfiant.

— N'aie plus peur, souffle le garçon à la Bête. Je vais mieux, maintenant.

— Allez, il faut qu'on retrouve Vedra! leur lance Elena.

Krimon pousse un grogne-ment, puis s'avance sur le che-min. Tom regarde le ciel. À présent, la lune est à moitié pleine. Ils doivent faire vite!

Bientôt, ils arrivent devant un immense gouffre. Tom baisse les yeux. Le précipice est profond. Il sait que la plume d'aigle que lui a donnée Arcta, le géant des montagnes, l'empêchera de tomber. Mais comment Elena et le dragon vont-ils passer?

— Comment est-ce qu'on va traverser? demande la jeune fille.

À cet instant, Krimon recule de quelques pas, prend son élan puis saute par-dessus le précipice. Il atterrit de l'autre côté, les ailes ouvertes.

— Fais demi-tour ! lui lance
Tom. Tu vas nous porter sur
ton dos !

Krimon grogne et laisse
échapper un petit jet de
flammes. Mais il reste où il est

et, de la tête, leur fait signe
de le rejoindre.

— C'est trop loin pour nous !
explique Elena. Reviens nous
chercher !

Mais Krimon n'a pas l'air

de comprendre. Tom regrette d'avoir laissé Epos et Ferno : les deux Bêtes les auraient facilement transportés de l'autre côté.

Le garçon est de nouveau en colère mais il essaie de se calmer. Il sait que le petit dragon n'y est pour rien. Soudain, il a une idée.

— Si on avait une perche, on pourrait sauter par-dessus le gouffre.

— Oui ! répond Elena avec enthousiasme. On n'a qu'à prendre une branche d'un de ces énormes buissons.

Tom coupe une branche deux fois plus haute que lui avec son épée et enlève les feuilles et les brindilles. Elle a l'air souple et solide.

— J'y vais le premier, dit-il à son amie. Quand je serai de l'autre côté, je te la lancerai.

Il lève la perche, la place sur son épaule et recule de plusieurs pas, les yeux fixés sur l'autre bord du précipice. Il se met à courir, plante la perche dans le sol, s'envole dans les airs, puis se propulse en avant pour enfin atterrir de l'autre côté, sain et sauf.

Il lance la perche à Elena. Quelques instants plus tard, Elena rejoint son ami.

— Espérons que c'était le dernier obstacle, souffle-t-elle.

Ils se remettent à marcher mais, bientôt, Tom remarque que Krimon ne va pas bien. La Bête titube et n'arrête pas de se gratter le cou.

Ils arrivent à un carrefour d'où partent sept chemins. Là, Krimon s'écroule sur le sol en se griffant le cou avec agitation.

— Qu'est-ce qu'il a ? s'inquiète Elena.

Tom court rejoindre le dragon.

— Je crois qu'il y a un lien très fort entre lui et son jumeau, dit le garçon d'une voix paniquée. Quand Vedra a mal, Krimon souffre aussi !

Le dragon pousse des cris

de douleur. Pendant ce temps, la lune monte lentement dans le ciel. Sa lumière pâle se reflète sur la neige.

Soudain, la boule de feu qui plane au-dessus de Krimon s'éteint et, sur sa poitrine, la lueur orange disparaît. La Bête arrête de se tordre sur le sol, puis elle se relève, à bout de souffle, et se met à gémir. De grosses larmes coulent de ses yeux tristes.

Krimon pose sa tête sur l'épaule d'Elena, qui passe ses bras autour de lui.

— Le lien entre les deux

dragons est rompu, constate Tom. Quelque chose de terrible a dû arriver à son frère.

Le garçon est désespéré. Il n'a pas réussi à retrouver Vedra, et sans Krimon pour les guider, comment vont-ils pouvoir rejoindre le centre du labyrinthe ?

Chapitre huit

Au cœur du labyrinthe

— Qu'est-ce qu'on va faire ? demande Elena, les yeux brillants de larmes.

— Comment veux-tu que je le sache ? rétorque Tom d'un ton sec. Je ne suis pas un sorcier !

Elena se mord la lèvre.

— Excuse-moi, reprend son ami.

Il sait qu'il doit contrôler sa colère, mais les gémissements de Krimon lui font mal à la tête. Il se tourne vers la Bête.

— Tais-toi un peu ! lui lance-t-il.

— Mais il ne dit rien, proteste Elena.

— Je l'entends, il n'arrête pas de pleurnicher.

— Non, écoute : il s'est calmé.

Elena a raison : Krimon est silencieux. Mais alors… d'où viennent ces gémissements ? Soudain, Tom comprend !

— C'est Vedra !

— Je n'entends rien, répond la jeune fille.

— Moi si. Écoute mieux ! dit-il en se tournant vers l'un des sept chemins. Par là !

Tom se met à courir tandis qu'Elena et Krimon le suivent. Les gémissements de Vedra sont de plus en plus proches. La Bête ne doit plus être loin !

La lune est pleine, maintenant. Mais elle n'est pas encore très haute dans le ciel : il leur reste encore un peu de temps. Le temps de réussir ou... d'échouer.

Soudain, ils débouchent sur

une large clairière. Vedra est là, attaché au sol par de grosses chaînes en or.

Il se débat, mais des pointes placées autour de son collier se plantent dans sa gorge quand il bouge trop.

Tout près du dragon, Tom aperçoit Seth. Le garçon leur sourit.

— Vous êtes venus contempler la pleine lune avec moi ? demande-t-il en les saluant d'un air moqueur. Mon maître va être content.

Tom est sur le point d'attaquer Seth, quand Krimon se

précipite vers son frère jumeau. Au même instant, le serviteur de Malvel se rapproche de Vedra et le libère de ses chaînes, qui tombent sur le sol. Vedra se relève, une lueur maléfique dans les yeux.

Qu'est-ce qui lui arrive ? Tout à coup, le dragon se redresse, ouvre la gueule et crache un jet de flammes en direction de Krimon. Puis il se jette sur son frère jumeau en rugissant de colère.

Tom comprend que Vedra est contrôlé par la magie noire de Malvel. Le sorcier l'a ensorcelé.

Le garçon est arrivé trop tard…

Chapitre neuf

La pleine lune

Avec un cri de rage, Tom se précipite vers Vedra. Il faut l'empêcher de blesser Krimon. Mais Seth s'interpose entre le garçon et la Bête, son épée en bronze à la main.

— Tu ne peux plus rien faire, maintenant ! Vedra nous appartient !

— Essaie de te battre contre

moi, lui lance Tom d'un ton de défi. Et sans l'aide de la magie !

Seth sourit d'un air méchant.

— Je n'ai pas besoin de magie pour te vaincre.

Aussi rapide qu'un serpent, le serviteur de Malvel donne un coup d'épée sur celle de Tom. Celui-ci lâche son arme et tombe en arrière. Les coups pleuvent sur son bouclier. Il se relève, trébuche et tombe de nouveau dans la neige. Derrière lui, Vedra et Krimon sont en train de se battre eux aussi.

Soudain, il entend un cri perçant. Elena s'est emparée de son épée et attaque Seth sur le côté, pour l'obliger à s'éloigner de Tom. Mais Seth est trop fort pour elle…

Alors, Tom se redresse et lance son bouclier contre son adversaire, qui tombe sur le sol. Elena en profite pour poser un pied sur le poignet de Seth et prend son épée en bronze.

— Bravo, Elena ! lui crie son ami.

— Je le surveille ! répond-elle. Attrape ! ajoute-t-elle en

lui rendant son épée tout en menaçant Seth avec sa propre épée en bronze.

Les hurlements des deux dragons résonnent dans la clairière. Ils crachent des flammes et se donnent de

grands coups de griffe. Tom s'élance vers eux. Avant de pouvoir intervenir, il voit Krimon s'écrouler sur le sol.

Tom sait ce qu'il doit faire. Il ne lui reste plus que quelques secondes avant que

la lune soit haute dans le ciel. Il se souvient des instructions d'Aduro, qui a enchanté son épée : il faut placer la pointe de son arme sur le ventre de Vedra pour le délivrer du sortilège.

Il s'approche et cherche un moyen de passer sous la Bête.

— Hé ! crie-t-il pour couvrir les rugissements des dragons et attirer leur attention.

Il donne un petit coup d'épée dans la patte avant de Vedra. Les yeux furieux du dragon vert se tournent vers lui.

La Bête crache un jet de
flammes dans sa direction,
mais Tom bondit sur le côté
en brandissant son épée. Le

clair de lune se reflète sur la
lame. Le jeune homme place
son arme face à Vedra. Le
dragon, ébloui par la lumière,
se relève.

Tom en profite : de la pointe
de son épée, il écorche légè-
rement le ventre de Vedra.

— Non ! hurle Seth.

Aussitôt, un vent violent se lève, balaie la clairière et couvre sa voix. Tom tient bon malgré tout.

Brusquement, il n'y a plus un bruit. Tom ouvre les yeux. Le labyrinthe s'est volatilisé.

Au lieu de ça, ils se trouvent sur un plateau rocheux couvert d'une épaisse couche de neige. Vedra et Krimon se tiennent près du garçon, l'air étonné. Elena est là elle aussi, mais Seth et son épée en bronze ont disparu.

— Tu as réussi ! s'écrie la jeune fille.

— *Nous* avons réussi ! corrige Tom.

Les deux petits dragons se frottent l'un contre l'autre en ronronnant de plaisir.

Pourtant, Tom sait que Malvel n'a pas été vaincu. Il lui

faudra de nouveau affronter le
sorcier maléfique.

— Tu crois qu'ils compren-
nent ce qu'on a fait pour eux?
demande Elena en regardant
Vedra et Krimon.

— Oui, j'en suis certain. Bon,

qu'est-ce qu'on fait maintenant?

— Regarde ta carte, conseille
Elena.

Tom déroule sa carte
magique. Un point doré lui
indique où ils se trouvent.

— On est au milieu de nulle
part! souffle le garçon, décou-
ragé. Comment est-ce qu'on
va rentrer, maintenant?

— Ne t'inquiète pas! s'écrie
Elena. Regarde là-haut!

Dans le ciel, Ferno et Epos
volent dans leur direction.

Tom leur fait de grands
signes.

— Parfait! Ils vont pouvoir nous ramener.

Ferno et Epos atterrissent près des dragons jumeaux. Tom court vers l'oiseau-flamme.

— Tu es guéri! Je suis tellement content!

Ferno s'approche de Vedra et Krimon. Les deux petits dragons battent des ailes et se serrent l'un contre l'autre. Puis Ferno pousse un cri et ils grimpent sur son dos.

— Je me demande ce qu'il leur a dit, s'étonne Elena.

— Je pense qu'il va les emmener dans un endroit où

ils grandiront en sécurité. Quelque part dans les montagnes de Rion.

Le dragon de feu s'élève majestueusement dans les airs et s'éloigne dans le ciel.

— Epos? Tu nous ramènes à Avantia? demande Tom.

Sur sa carte, une ligne

dorée leur montre la route à suivre.

Un instant plus tard, un visage brillant apparaît sur la carte. C'est Aduro, un sourire aux lèvres.

— Félicitations, mes amis. Vous avez été très courageux. À présent, grimpez sur le dos d'Epos et rentrez au palais du roi Hugo.

— Nous avons réussi à sauver les petits dragons, lui dit Elena, mais j'ai perdu mon arc et mes flèches.

— Rassure-toi, j'ai pu les récupérer grâce à la magie,

lui répond Aduro. Ils t'atten-
dent au palais !

La jeune fille pousse un cri
de joie tandis que le visage du
sorcier disparaît.

Tom et son amie montent
sur le dos de l'oiseau-flamme.
Ils s'accrochent aux plumes
d'Epos, qui s'envole lentement.

— Je me demande com-
ment Tempête et Silver se
sont débrouillés sans nous, lui
dit Elena.

— Ils doivent être déçus de
ne pas être venus avec nous !
lance Tom en souriant.

— Nous leur raconterons

ce qui s'est passé dès notre retour.

Un vent frais souffle dans les cheveux du garçon. Il se sent épuisé, mais il est très heureux. Il a rempli sa mission. Il ignore s'il reverra Vedra et Krimon, mais il sait qu'un jour, les deux Bêtes seront là pour protéger le royaume. Il se demande aussi s'il rencontrera de nouveau Seth. À cette idée, il frissonne.

Mais pour l'instant, il rentre chez lui.

À Avantia.

Fin

Le sorcier Malvel a volé l'armure magique
qui appartenait au Maître des Bêtes !
Elle devait revenir à Tom et lui apporter de
grands pouvoirs magiques. Le jeune homme
a maintenant une nouvelle mission :
récupérer les six morceaux de l'armure
cachés dans le royaume d'Avantia...

Découvre la suite des aventures
de Tom dans le tome 9
de **Beast Quest** :
LE MONSTRE MARIN

Plonge-toi dans les aventures de Tom à Avantia !

LE DRAGON DE FEU

LE SERPENT DE MER

LE GÉANT DES MONTAGNES

L'HOMME-CHEVAL

LE MONSTRE DES NEIGES

L'OISEAU-FLAMME

Table

1. Tempête de neige 9
2. Le feu du dragon 15
3. Un obstacle 23
4. Le labyrinthe 31
5. La brume verte 37
6. Les sorts de Malvel 47
7. Le gouffre 55
8. Au cœur du labyrinthe 67
9. La pleine lune 75

« Pour l'éditeur, le principe est d'utiliser des papiers composés de fibres naturelles, renouvelables, recyclables et fabriquées à partir de bois issus de forêts qui adoptent un système d'aménagement durable. En outre, l'éditeur attend de ses fournisseurs de papier qu'ils s'inscrivent dans une démarche de certification environnementale reconnue. »

Imprimé en France par Jean-Lamour - Groupe Qualibris
Dépôt légal : juillet 2009
20.07.1884.4/01 – ISBN 978-2-01-201884-6
Loi n°49-956 du 16 juillet 1949
sur les publications destinées à la jeunesse